ANDY WHITSON

CÁIT NIC SHEÁIN

Cúraille

I gCEANNAS

GAEILGE

WWW.ANTSNATHAIDMHOR.COM

BÉARLA

Do Bhensen, Joleen agus Anna

An Chéad Chló
An tSnáthaid Mhór 2015
20 Gairdíní Ashley,
Bóthar Lansdúin,
Bóthar Aontroma
Béal Feirste,
BT154DN

Tá an tSnáthaid Mhór buíoch d'Fhoras na Gaeilge as tacaíocht airgeadais a chur ar fáil.

Sonraí Catalógaithe le linn Foilsiú: tá catalóg le haghaidh an leabhair seo ar fáil ó Leabharlann na Breataine.

ISBN: 978-0-9552271-9-6

www.antsnathaidmhor.com

Clódóireacht: W&G Baird

Foras na Gaeilge

Andy Whitson

Cáit Nic Sheáin

Dé Luain...

…an lá a chaill Mamaí a fáinne.
Sin an lá a chuaigh Cúraille i gceannas ar chúrsaí.

'Lean mise, a Bhobo! Dúirt Mamaí liomsa súil a choinneáil ort go dtiocfadh sí ar a fáinne.'

Níl aon ní is fearr le Cúraille ná a bheith i gceannas.

'Ná buair do cheann le rud ar bith, a Bhobo. Fág gach rud fúm mar is mise atá i gceannas...'

Ach ní raibh Bobo ag éisteacht mar bhí gadaí d'éan ag imeacht leis an fháinne os comhair a dhá shúil.

'...Slán sábháilte a bheas tú, a Bhobo, agus mise i gceannas. Tá a fhios agam i gcónaí cad é atá le déanamh.'

Ach ní raibh Bobo ag éisteacht.

Thosaigh sé ag dreapadh suas an crann sa tóir ar an fháinne.

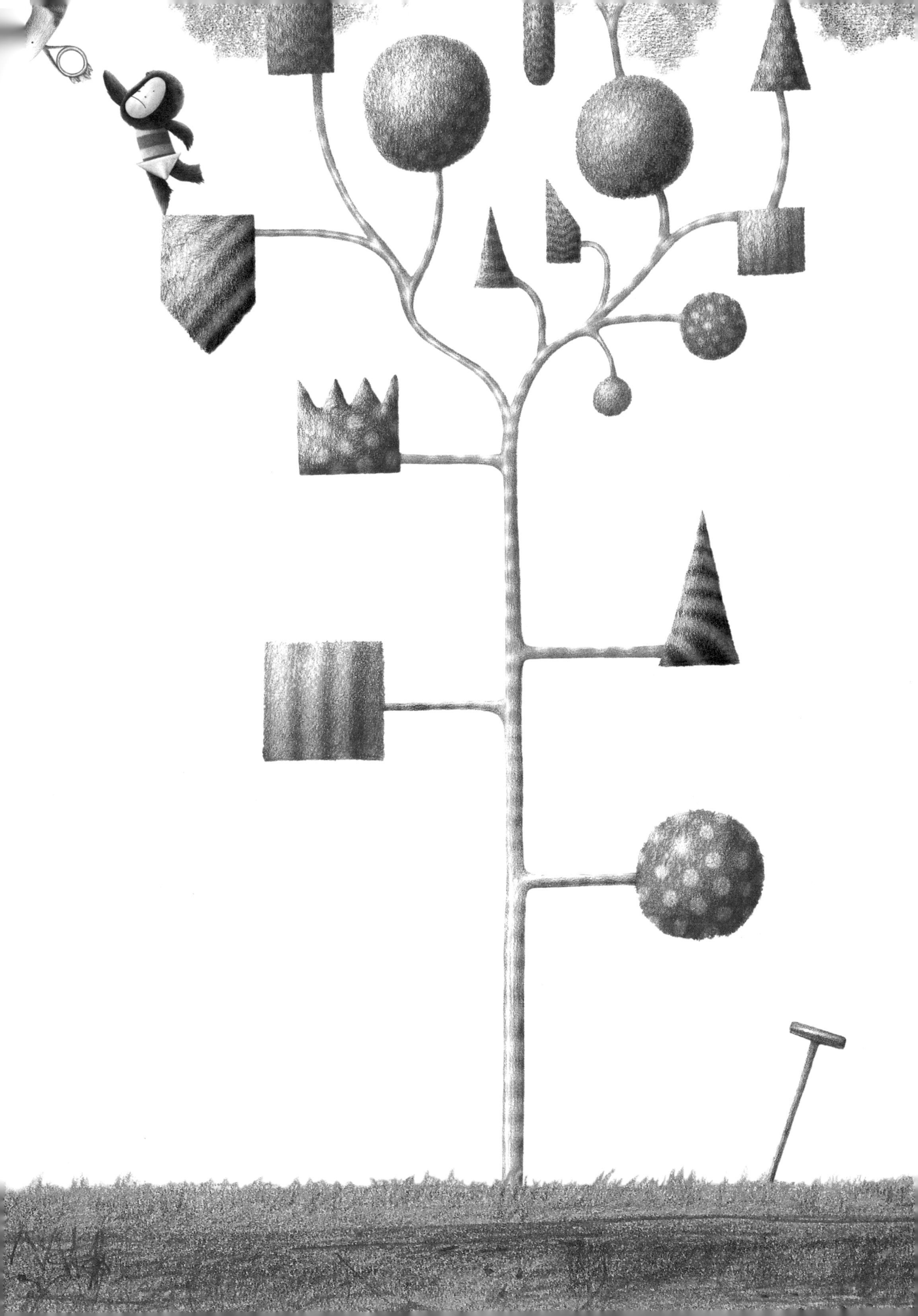

Lean Cúraille é ach bhí Bobo imithe as radharc.
Bhuail eagla Cúraille. Bhí Bobo caillte aige!

Ní raibh a fhios ag Cúraille cad é a dhéanfadh sé.
Ní thiocfadh leis dul ar ais chuig Mamaí gan Bhobo.

Go tobann, thosaigh cruthanna aisteacha ag brú isteach thart timpeall ar Chúraille.

Chonaic Cúraille fiacla móra agus súile lonracha.
Chonaic sé crúba géara agus adharca spíceacha.

Arrachtaí móra míofara, iad i mbun damhsa deargmhire.
Bhí Cúraille ar crith. Ach bhí Bobo, a dheartháir beag,
i gcontúirt agus d'fhág Mamaí Cúraille i gceannas.

Bheadh air a bheith láidir.
Chuimhnigh Cúraille ar an ní is fearr leis!

‘Is leor sin! Is mise an té atá i gceannas anseo,’
a scairt Cúraille.
Baineadh siar as na harrachtaí.

'Ach tá tusa beag bídeach. Cén fáth a n-éistfeadh muid leatsa?' arsa siad.
'Mar tá a fhios agam i gcónaí go díreach cad é atá le déanamh,' arsa Cúraille.

Tháinig aoibh ar na harrachtaí.
'Dar fia!' ar siadsan. 'Is fada muid ag fanacht le duine a rachadh i gceannas orainn is a déarfadh linn cad é atá le déanamh.'

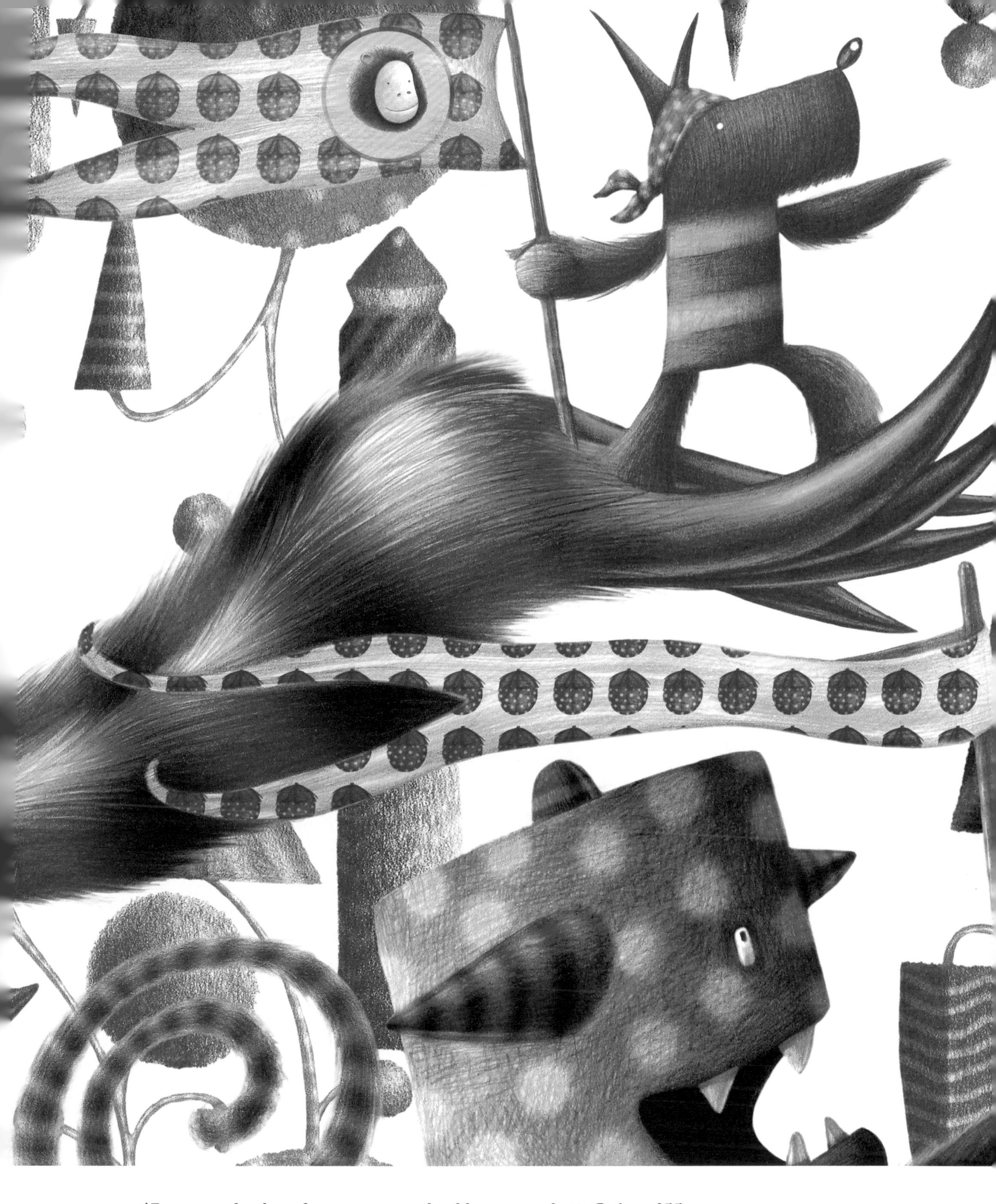

'Leanaigí mise mar sin!' a scairt Cúraille.
'Caithfidh muid Bobo a thabhairt ar ais chuig Mamaí go slán sábháilte.'

Suas leo uilig sa tóir ar Bhobo.

Go tobann, chonaic siad an t-éan ag eitilt amach as an chrann, an fáinne ina chrúba aige agus greim docht daingean ag Bobo ar an fháinne.

Ach ní scaoilfeadh an gadaí d'éan dána an fáinne le Bobo.

Lig Cúraille búir mhór as. 'Scaoil le mo dheartháir bheag, a ghadaí dhána!'

Bhain Cúraille geit chomh mór sin as an éan gur scaoil sé leis an fháinne is d'imigh leis ar luas lasrach.

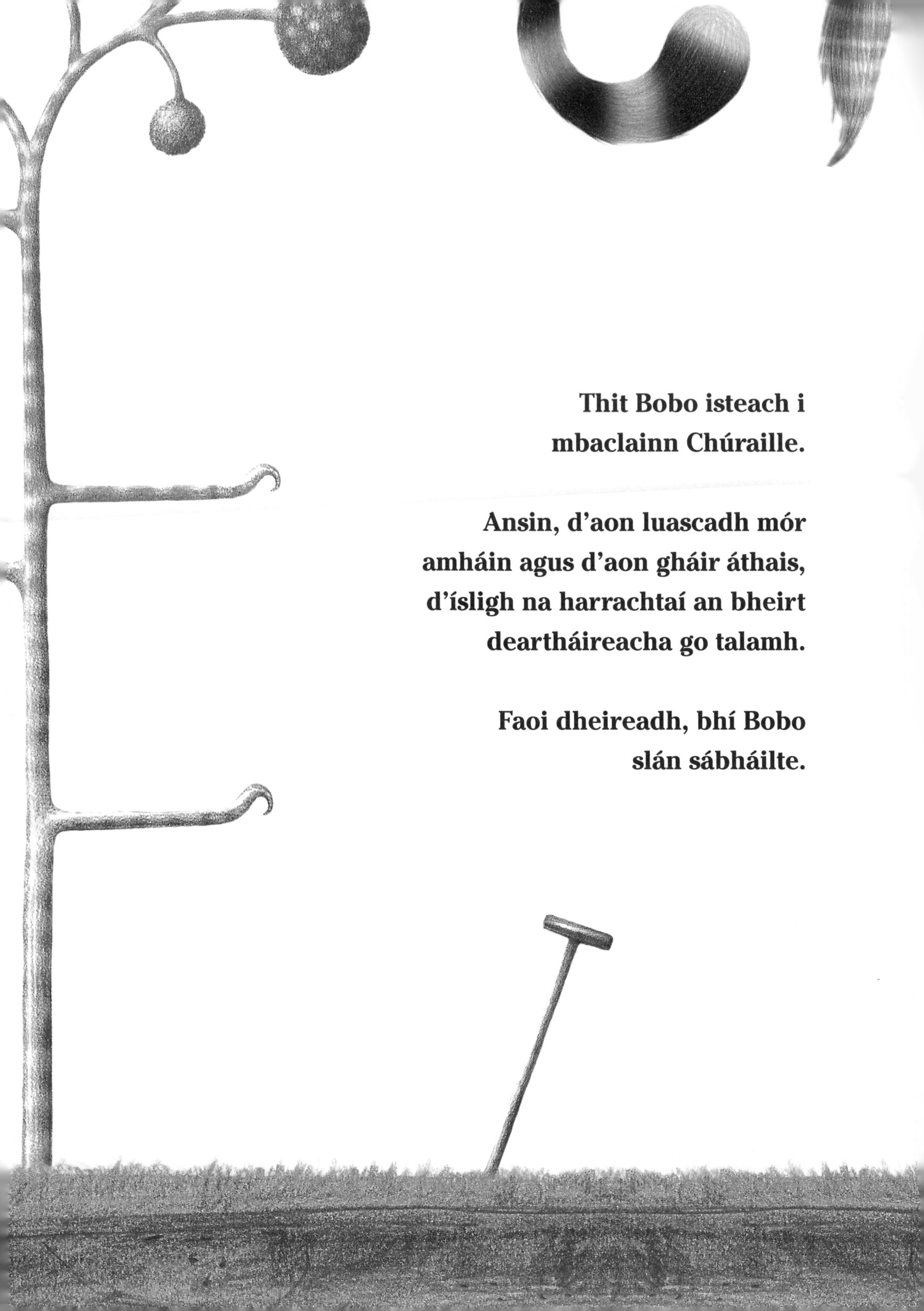

Thit Bobo isteach i
mbaclainn Chúraille.

Ansin, d’aon luascadh mór
amháin agus d’aon gháir áthais,
d’ísligh na harrachtaí an bheirt
deartháireacha go talamh.

Faoi dheireadh, bhí Bobo
slán sábháilte.

‘Lean mé, a Bhobo! Beidh Mamaí sona sásta an fáinne a fheiceáil ar ais arís.’

‘Ná buair do cheann le rud ar bith a rá. Fág an chaint ar fad fúm mar is mise atá i gceannas.’

Ach ní raibh Bobo ag éisteacht.

Bhí gadaí d'éan dána eile ag goid uaireadóir Chúraille os comhair a dhá shúil.

'Fan! Tá mise i gceannas agus tá a fhios agam go díreach cad é atá le déanamh!'